THiLO

Wir wollen ins Finale!

Hardys einmalige Chance

THiLO

WIR WOLLEN INS FINALE!

Hardys einmalige Chance

Band 3

Mit Illustrationen von Jürgen Rieckhoff

Ravensburger Buchverlag

Bibliografische Information der Deutschen Nationalbibliothek:

Die Deutsche Nationalbibliothek verzeichnet diese Publikation
in der Deutschen Nationalbibliografie. Detaillierte bibliografische Daten sind
im Internet über *http://dnb.d-nb.de* abrufbar.

MIX
Aus verantwortungs-
vollen Quellen
FSC® C114500
FSC
www.fsc.org

Das für dieses Buch
verwendete FSC®-zertifizierte Papier liefert
Arctic Paper Mochenwangen GmbH

1 2 3 16 15 14

Umschlagillustration: Jürgen Rieckhoff
Redaktion: Beate Spindler

Printed in Germany
ISBN 978-3-473-40953-2

www.ravensburger.de

INHALT

KAPITEL 1

DREI SIND EINER ZU WENIG

Der Bus hielt direkt neben dem Stadion. Noah, Eule und Matti sprangen heraus und rannten los. Durch einen Tunnel und weiter bis zu einem Tor, das offen stand.

Noah holte tief Luft. Durch dieses Tor kamen sonst die Profis auf den Platz. Nun er. Und seine besten Freunde Eule und Matti.

Der Sportschuhehersteller Sprintastic, der das Camp bezahlte, hatte sie unter Hunderten ausgewählt.

Noah schloss die Augen und genoss den Moment des Triumphes. Er hörte schon die Zuschauer jubeln.

In der Silvesternacht hatten sie sich geschworen, zur WM nach Brasilien zu fahren. Nur vier Monate später standen sie in der Auswahlmannschaft ihres Landes – ein Wunder!

Noah öffnete die Augen wieder. Das Stadion war tatsächlich noch da. Er lief weiter, bis auf den Rasen.

Hier, genau hier, hatte die deutsche Nationalmann-

schaft schon oft trainiert. Um sich auf ein Länderspiel oder ein großes Turnier vorzubereiten.
Er konnte förmlich den Schweiß der Spieler riechen. Von den Männern, die Noah so verehrte: Lahm und Schweinsteiger, Hummels und Gómez, Khedira und Özil. Klose, Klinsmann, Völler, Rummenigge, Sammer und Netzer.
Sie alle hatten mit ihren Stollen diesen Platz umgepflügt. Und jetzt durfte er hier spielen. Er, der noch bis im Dezember immer nur auf einer alten Kuhweide trainiert hatte.
„Hier gehöre ich hin!", sagte er voller Stolz.
„Hey, Capitano!", brüllte Eule. Sein Ruf hallte von den Sitzen der leeren Tribüne wider.
Irgendwo hatte Eule einen Ball aufgetrieben. Mit einer Wucht, die dem jungen Abwehrspieler wohl kaum einer zugetraut hätte, semmelte er die Pille quer über den Platz. *Wusch!*
Noah reagierte sofort. Er sprintete dem Ball ein paar Schritte entgegen. Nahm ihn mit der Brust an. Ließ ihn abtropfen. Und haute ihn volley nach links weiter. *Zack!*
Matti, der Motor im Mittelfeld, hatte keine Schwierigkeiten, den Ball anzunehmen. Seit beinahe vier Jahren spielten sie zusammen. Verstanden sich blind. Hatten aus einer Kuhweide einen passablen Fußball-

platz gemacht. Mit Flutlichtern und einem Bauwagen als Hauptquartier.

Matti stoppte die Kugel, legte sie sich auf den linken Fuß, hielt sie drei-, viermal in der Luft und zog dann aufs Tor. *Fusch!*

Wie an der Schnur gezogen flog der Ball durch den Sechzehner und schlug dann donnernd unterm Lattenkreuz ein.

Matti hätte stolz sein müssen, aber während der Ball noch in den Maschen zappelte, verschwand die Freude aus seinem Gesicht.

Noah wusste, was in Matti vorging: Der Torwart fehlte. Der vierte im Bunde. Ihr Freund Hardy.

Noah trat in den Boden. Ein Büschel Gras sauste durch die Luft.

„Drei sind einer zu wenig!", schimpfte er. „Ohne Hardy macht das alles nur halb so viel Spaß. Und das nur, weil der Scout von Sprintastic schon sechs andere Torhüter eingeladen hatte."

Eule und Matti nickten.

„Das vermiest mir richtig die Laune", sagte Eule betrübt. „Wie soll ich mich auf das Camp freuen, wenn Hardy nicht dabei ist?"

In diesem Augenblick flog ein zweiter Ball über ihre Köpfe hinweg. Kurz vorm Elfmeterpunkt blieb er liegen.

„Was ist denn das für eine trübe Veranstaltung hier?", brüllte eine Stimme.

Die drei Freunde fuhren herum.

Noah traute seinen Augen kaum. Hinter ihnen stand Hardy!

„Was … was machst *du* denn hier?", stammelte Matti.

Hardy grinste. „Na, das Gleiche wie ihr: trainieren."

Nervös polierte Eule die dicken Gläser seiner Brille. Sie hatten ihm den Spitznamen eingebracht. Eigentlich hieß er Simon, doch diesen Namen benutzte nicht einmal seine Schwester. „Aber das ist nicht erlaubt. Nur wer eine Einladung bekommen hat, darf …"

Hardy ließ Eule nicht aussprechen. Er hielt ihm einen

Brief unter die Nase. Mit dem Briefkopf von Sprintastic.
Eule schaffte es vor lauter Aufregung nicht, ihn zu lesen. So sehr zappelte er auf und ab.
„Ein Torwart hat sich vor ein paar Tagen verletzt. Beim Fahrradfahren. Knie kaputt, Krankenhaus. Acht Wochen Gips. Also haben sie mich nachnominiert."
Mattis Augen leuchteten auf. „Du machst also mit? Die ganzen Osterferien?"
Hardy grinste. „Klar. Euch drei kann man ja nicht alleine lassen!"
„Aber du warst doch nicht im Bus?", wunderte sich Eule.
Hardy schüttelte den Kopf. „Ein Star wie ich fährt nicht Bus. Sprintastic hat mir das Taxi hierher bezahlt. Weil der Brief erst heute Morgen ankam. Nachdem ihr weg wart."
Wie ein arroganter Schauspieler wischte sich Hardy eine Haarsträhne aus dem Gesicht. Alle lachten.
„Ach so, und ich soll euch noch was von unserem Trainer ausrichten: Wenn ihr eure Koffer nicht in zehn Sekunden aufs Zimmer gebracht habt, werdet ihr bei jedem Spiel dabei sein: als Eckfahnen!"

KAPITEL 2

SPIELREGELN

Eine Viertelstunde später standen achtundvierzig Jungen auf dem Platz.

Noah betrachtete sie genau. Alle neun oder zehn Jahre alt. Große, kleine, kräftige, schmale. Aber alle mit dem gleichen ernsten Gesichtsausdruck.

Die Besten ihres Bundeslandes. Es gab niemanden hier, der einen Fußball nicht von einer Apfelsine unterscheiden konnte.

Er entdeckte auch zwei alte Bekannte in den Reihen der Spieler: Yannick, den Sohn ihres Trainers. Und Stefan, genannt Schädel. Ein Riese aus dem Nachbardorf, der ihnen mit seinen Kopfbällen schon oft die Hölle heiß gemacht hatte.

Vor den Jungs baute sich nun eine halbe Armee von Männern in weißen Trainingsanzügen auf. Profitrainer, die das Beste aus jedem von ihnen herausholen würden.

Noah spürte ein Kribbeln im Bauch. Er war so stolz

dazuzugehören. Und er würde sein Bestes geben. Wenn sein Vater ihn doch nur so sehen könnte …
Leider hatten sich Noahs Eltern vor einiger Zeit getrennt. Luiz war wieder in seine Heimat Brasilien gezogen. Viel Geld verdiente er als Taxifahrer nicht, Noahs Mutter im Altenheim auch nicht, und Flüge waren teuer. Aber dass Luiz ihn über alles liebte, wusste Noah auch so.
Sie telefonierten viel und Noah bekam fast täglich eine SMS von seinem Vater. Viel lieber hätte er ihn allerdings in die Arme genommen. Oder noch besser: mit ihm Fußball gespielt.
Wie viele Brasilianer konnte Luiz nämlich fantastisch mit dem Ball umgehen. Ein Talent, das Noah von ihm geerbt hatte.

Eule knipste alle Spieler, die Trainer und sogar die Betreuer.
Matti stupste ihn an. „Und jetzt noch jeden leeren Sitz im Stadion! Komm schon!"
Hardy grinste. „Willst du die später alle mal deinen Enkeln zeigen?"

Eule strahlte. „Warum nicht. Ich hab ein neues Handy bekommen. Mit über siebzig Funktionen!"
Ein Trainer ergriff das Wort. Er war klein und hatte eine Glatze mit Haarkranz. In seinen Augen brannte Feuer. Die Leidenschaft für Fußball, die sie alle antrieb. Diesen Augen entging sicher nichts.
Wie als Erinnerung daran, baumelten um seinen Hals eine Stoppuhr, eine Trillerpfeife und ein Kugelschreiber. In der Hand hielt er ein Notizbuch.
„Männer!", begann er. Seine Stimme hallte durchs ganze Stadionrund. „So werde ich euch behandeln: wie Männer. Denn ihr alle habt das gleiche Ziel. Ihr wollt später einmal Nationalspieler werden. Also ist hier kein Platz für Kindereien. Wer Scheiße baut, fliegt raus."
Er zeigte zum Ausgang. „Da draußen sind Tausende, die gerne mit euch tauschen würden. Jeder, der schon einmal gegen einen Ball getreten hat, würde sich den Arsch aufreißen, um hier zu stehen. Aber wir brauchen nur achtundvierzig Spieler. In dieser ersten Woche. Danach werden meine Co-Trainer und ich uns beraten. Und die Hälfte rausschmeißen."
Noah und Hardy sahen sich verwirrt an.
„Das stand aber nicht in dem Brief ...", grummelte Noah. „Ich dachte, wir bleiben alle die ganzen Ferien hier."

Hardy verzog das Gesicht. „Ich auch. Aber ich glaube, wenn du dich beschwerst, ist der Ofen sofort aus."

Der Trainer drehte seinen Kopf und lächelte Noah und Hardy an.

„Das klingt hart, ich weiß. Aber auf dem Gipfel ist eben nur Platz für wenige. Und vielleicht sehe ich euch in einem anderen Jahr wieder. In der U 16 oder der U 18. Die andern vierundzwanzig werden weitertrainieren. Und am Ende des Camps ein Turnier spielen. Gegen Auswahl-Mannschaften aus ganz Deutschland, aber auch gegen ein Team aus Österreich und eins aus der Schweiz."

Er schnipste mit den Fingern.

Ein Assistent lief zu ihm und drückte ihm einen dicken Brief in die Hand.

„Hier drin ist eure Belohnung." Er zog ein Bündel Karten aus dem Umschlag. „Nachdem die Hälfte von euch abgereist ist, wird sich der Rest am Samstag ein Spiel der Profis ansehen. Ein Spiel der wahrscheinlich besten Spieler der Welt. Das Freundschaftsspiel der deutschen Nationalmannschaft gegen Brasilien."

Noah verschluckte sich fast. „Aber das ist doch seit Monaten ausverkauft …"

Der Trainer grinste. „Gut, dass Sprintastic im Stadion Bandenwerbung macht. Da haben sie sicher nicht lange betteln müssen, um auch ein paar Karten fürs Spiel zu bekommen!"

Noah schluckte. *Sprintastic – 1:0 für deine Füße* – den Werbespruch kannte schließlich jedes Kind.

Die anderen Jungs prusteten los. Selbst die Assistenten konnten sich das Lachen nicht verkneifen.

Noah merkte, wie ihm das Blut ins Gesicht schoss. Er schämte sich mehr, als wenn er nur in Unterhose hier erschienen wäre.

„Männer!"

Sofort waren alle wieder ernst.

„Ich weiß, der Druck ist hart. Aber nur durch Druck entsteht aus wertlosem Kohlenstoff ein funkelnder Diamant. So ein Schmuckstück steckt in jedem von euch."

Der Trainer verengte die Augen zu schmalen Schlitzen und blickte einen Jungen nach dem anderen an. „Aber es gibt Spielregeln. Auf dem Platz. Und im

Haus. Wer die Regeln bricht, bekommt die Gelbe Karte."

Er zählte einige Vergehen an den Fingern ab: „Nachtruhe stören, Zimmer vermüllen, Mitspieler ärgern. Grobes Foulen. Sportsachen eines Kameraden verstecken – alles schon mal vorgekommen. Beim zweiten Mal gibt es wie auf dem Platz Gelb-Rot. Dann heißt es: *Adiós!* Ab nach Hause."

Hardy stupste Eule an. „Dürfen wir wenigstens weiter in der Nase bohren?"

Eule kicherte.

Der Trainer fuhr herum. „Schwätzen, während ich rede, gehört auch dazu. Glück für euch, dass ich das Camp noch nicht angepfiffen habe."

Er grinste. „Mein Name ist übrigens Peter Hartmann. Was uns nicht umbringt, macht uns härter."

Hartmann steckte sich die Pfeife in den Mund und pfiff lautstark. „Los geht's, Männer. Ich will sehen, was eure Lungen draufhaben. Zehn Runden um den Platz!"

Augenblicklich flitzte er los. Nicht schnell, nicht langsam. Und immer im gleichen Tempo. Bei ihm sah es so aus, als würde Rennen gar keine Mühe machen.

Matti rollte mit den Augen. „Hartmann – wohl selten hat ein Name besser zu einem Menschen gepasst."

Und Eule fügte hinzu: „Das kann ja heiter werden …"

KAPITEL 3

DUNKELGELBE KARTE

Eine halbe Stunde später kniete Noah auf dem Rasen. Vor seinen Augen drehte sich alles.

Eule lag japsend auf dem Rücken.

Hardy torkelte wie ein Betrunkener über die Ziellinie.

Und Matti hatte sich bei einem fremden Jungen eingehakt. Gegenseitig trugen sich die beiden vorwärts.

Alle achtundvierzig Jungen waren fix und fertig. Nur Hartmann nicht.

„Aaah!", jubelte der Trainer. „Das war genau richtig, um ein bisschen warm zu werden. Jetzt machen wir Ernst. Männer, Aufstellung! Wir laufen noch mal zehn Runden um den Platz!" Er pfiff.

Alle Spieler stöhnten.

„Was?", schnaufte ein Zwerg mit Rotznase.

„Das überlebe ich nicht!", jaulte Eule.

Hartmann lachte. „Kleiner Scherz. Ich teile nun die Mannschaften ein. Sechs Teams zu je acht Männern. Ihr bleibt dann die ganze Woche zusammen. Wir Trai-

ner schreiben jeden Furz von euch auf. Also strengt euch an!"

„... und esst keine Bohnen!", flüsterte Matti. Zum Glück bekam Hartmann nichts davon mit.

Noah, Eule, Hardy und Matti kamen in eine Mannschaft. Dazu drei Unbekannte. Und leider auch Yannick aus Rohrbach.

Danach ging Hartmann zu einem anderen Haufen Spieler, um ihnen erste Anweisungen zu geben.

„Das musste ja so kommen", motzte Eule leise und deutete mit dem Kinn auf Yannick. „Den Stinkstiefel werden wir wohl nie los."

Da Yannicks Vater Trainer in Rohrbach war, konnte der Sohnemann sich zu Hause alles erlauben. Mit seinen Pöbeleien hatte Yannick Matti und Eule schon mehrfach zugesetzt.

„Wer weiß", murmelte Hardy. „Vielleicht denkt Yannick ja auch nur, er muss sich vor seinem Vater beweisen. Schließlich ist der doch beinahe bei Bayern München gelandet."

Eule sah seinen Freund verwirrt an. „Glaubst du wirklich, der ist hier anders?"

Hardy zuckte mit den Schultern.

Noah wollte noch etwas erwidern, aber da brachen zwei seiner Mitspieler in schallendes Gelächter aus. Er drehte sich um.

Die zwei musterten Noah, Eule, Matti, Hardy und Yannick von oben bis unten. Dabei grinsten sie dreckig.
„Das ist wohl die neuste Mode auf dem Dorf", lästerte der eine. Er hatte Gel in den Haaren und die allerneusten Turnschuhe an.
Der andere sah aus wie von Mami gekämmt. Sein Trainingsanzug war das teuerste Modell und hatte letzte Woche garantiert noch im Sportgeschäft gehangen.
Der Typ formte mit den Fingern zwei Kreise, hielt sie sich vor die Augen und tat so, als würde er gegen den Torpfosten laufen.
„Tut mir leid, Herr Schiedsrichter", flötete er. „Aber ich seh' heut so schlecht."
Das sollte natürlich Eule sein.
„Wenn ihr noch einen Witz über meinen Freund macht, setzt's was!", fauchte Noah angriffslustig.
„Könnt ihr auch Fußball spielen? Oder seid ihr nur hier, um euch über andere lustig zu machen?", fügte Hardy hinzu. Groß wie er war, baute er sich vor den Typen auf.
„Oooh, die Neandertaler sprechen unsere Spra-

che!", johlte Mr Gelfrisur. Er zeigte auf Hardy. „Du Hunger? Du fressen Gras, wie zu Hause in Stall?"
Noah und Hardy sahen sich an. Dann gingen sie auf die beiden Schnösel zu.
„Hört mal zu, ihr Kasper", sagte Noah in bedrohlichem Ton. „Ich weiß nicht, was euer Problem ist. Aber bei der nächsten Bemerkung liegt ihr auf dem Rasen und seht nur noch Sternchen. Haben wir uns verstanden?"
Hardy knurrte: „Noch ein Spruch, Kieferbruch!"
Die Jungs guckten einen Moment lang dumm aus der Wäsche. Doch dann lachten sie.
„Ist gut, Herr Dorfpolizist", sagte der piekfein Gekämmte. „Wir werden uns benehmen. Hier, bitte ..."
Er nahm einen Ball und warf ihn Noah in den Magen.
Noah krümmte sich. Das hatte echt wehgetan.
„Bei uns auf dem Kuhdorf gibt's auf so was nur eine Antwort!", stöhnte er. Dann hechtete Noah los. Brach jeden Weitsprungrekord. Und landete auf dem Rücken des Fieslings.
Noah rammte ihm die Faust in die Rippen.
Hardy knöpfte sich in der Zwischenzeit den Zweiten vor. Er klemmte sich den Schädel unter den Arm und verpasste ihm eine Kopfnuss.
„Aua, aua, aua!", krakeelten die beiden Schönlinge übertrieben laut.

Das alarmierte die Erwachsenen.
Hartmann kam zu ihnen rüber. „Noah, Reinhard!", schimpfte er. „Lasst sofort eure Mitspieler los!"
Nur widerwillig gehorchte Noah. Nicht ohne dem Sprücheklopfer noch einen Stupser in die Rippen zu verpassen.
„Was ist hier los?", fragte der Trainer. „Pierre? Marlon?"
Die beiden strichen ihre Kleider glatt.
„Keine Ahnung!", log der Gegelte. „Marlon und ich wollten gerade losspielen, da springen uns die beiden an wie ausgehungerte Pumas."
Hartmann bedachte Noah und Hardy mit einem strengen Blick. „Männer, ihr habt einen Rekord aufgestellt. Noch keine zwei Stunden im Camp und schon die Gelbe Karte. Die Dunkelgelbe. Bei der

nächsten Kleinigkeit gibt's Rot und ihr fahrt nach Hause."

Noah hätte am liebsten geschrien, wie unfair das war. Dass Pierre und Marlon angefangen hatten. Aber er schluckte seine Wut runter. Genug Ärger für heute. Und Petzen war nicht seine Art. Selbst bei solchen Vollidioten nicht.

Hardy und er nickten. „Wird nicht wieder vorkommen, Trainer!", nuschelte Noah.

Hardy nickte.

Hinter Hartmanns Rücken schnitten Pierre und Marlon Grimassen.

„Nach dem Training zehn Extrarunden um den Platz!", befahl Hartmann.

Marlon und Pierre grinsten.

„Das schreit nach Rache", zischte Noah ihnen zu, als Hartmann sich entfernt hatte.

KAPITEL 4

BETTNACHBARN

Eule, Noah, Hardy und Matti lagen auf ihren Betten. Starrten die Decke an. Alle waren nach der ersten Trainingseinheit platt. Ausgepumpt wie leere Swimming Pools. Dabei war es nicht mal Mittag!
„Mir tut jeder Knochen weh", stöhnte Matti und drehte sich auf die Seite.
„Hoffentlich gibt es was Gutes zu essen, sonst klappe ich heute Nachmittag beim Spiel zusammen."
Eules Kopf wollte gar nicht wieder auf Weiß umstellen. Wie eine Tomate leuchtete sein Gesicht auf der hellen Bettdecke. Wie eine Tomate mit sehr dicker Brille.
„Spiel?", jammerte Hardy. „Ich glaube, ich hör doch auf meine Eltern und melde mich im Schachverein an."
Noah sagte nichts. Die Gemeinheiten von Pierre und Marlon gingen ihm nicht aus dem Kopf.
Aber er ärgerte sich auch über sich selbst. Es muss-

ten nur zwei Vollidioten daherkommen und schon hatte er sich nicht mehr unter Kontrolle. Riskierte, was er sich hart erarbeitet hatte: die Trainingstage im Camp.

Seufzend blickte er zum dritten Stockbett hinüber. Er schlief über Hardy. Matti über Eule. Und wen hatten die Trainer noch in ihr Zimmer gesteckt?

Noah ahnte das Schlimmste. Die Tasche vor dem Bett kam ihm irgendwie bekannt vor …

Um zehn Minuten vor zwölf kam ein blasser Junge zur Tür herein.

„Finn", sagte er leise und kletterte nach oben. Mehr sollten sie die ganze Woche über nicht mehr von ihm hören.

Jetzt war nur noch ein Schlafplatz frei.

Dann passierte, was passieren musste: Yannick trat ins Zimmer. Yannick, das Großmaul. Der zu Hause beim Training erst Eule und dann Matti mit dummen Sprüchen fertiggemacht hatte.

Doch Yannick ließ keinen dummen Spruch los wie sonst. Er ging zu Noahs Bett, kletterte zwei Sprossen auf die Leiter und reichte ihm die Hand.

„Was soll das?", fragte Noah verwirrt.

Eule, Matti und Hardy reckten die Köpfe.

„Wir Landeier sollten zusammenhalten", schlug Yannick vor. „Ich habe mich wie ein Arsch verhalten. Das haben mir die beiden Schnösel vorhin gezeigt." Er hob die Hand. „Ich schwöre, von jetzt an ein fairer Sportler zu sein. Mit den Füßen – aber vor allem auch mit dem Mund."

Noah zögerte einen Moment. Zu gut konnte er sich noch an die ständigen Sticheleien gegen Matti erinnern. Matti war so verunsichert gewesen, er hatte kaum noch einen Pass spielen können. Dabei war *Zauberpass* sein zweiter Vorname.

Hardy grinste. Was habe ich euch gesagt?, sollte dieses Lächeln wohl heißen.

Noah sah hinüber zu Matti.

Als der nickte, schlug Noah ein.

„Bei uns ist ein Schwur heilig", sagte er warnend. „Wer ihn bricht, hat sein Leben verwirkt. Er ist dann nicht mehr wert als ein Wurm im Dreck."

Yannick nickte. „Das sehe ich genauso." Er lachte. „Und jetzt los, ihr Lahmärsche. Bis ihr im Speisesaal seid, bin ich schon beim Nachtisch!"

Das ließ sich Noah nicht zweimal sagen. Mit einem Riesensatz sprang er vom Bett herunter. Die zwanzig Runden um den Sportplatz waren mit einem Mal vergessen.

Eule, Matti und Hardy wetzten ihm hinterher. Wie ein Tornado wirbelten die fünf durch die Gänge der Sportschule.

Beinahe gleichzeitig erreichten Yannick und Noah die Essensausgabe.

Matti klatschte begeistert in die Hände. „Mmh, lecker. Spaghetti mit Tomatensoße." Er nahm sich eine Portion für zwei und einen riesigen Salat.

„Kraftfutter für Sportler", erklärte er den anderen am Tisch. „Wenn ich das gegessen habe, mache ich jeden Gegner platt!"

Auch Noah schaufelte sich das Essen nur so in den Mund. So einen Bärenhunger wie heute hatte er schon seit Monaten nicht mehr gehabt.

Irgendwann aber spürte er Blicke im Rücken. Wie Nadelstiche piksten sie ihm ins Fleisch.

Er drehte sich um.

Pierre und Marlon saßen zwei Tische weiter. Sie hatten die Köpfe zusammengesteckt und tuschelten. Immer wieder war ihr gehässiges Lachen zu hören.

Wut stieg in Noah auf wie ein Gasluftballon am Himmel.

Ruhig!, ermahnte er sich selbst. Die wollen dich nur provozieren. Und dann fliegst du!

Hastig verschlang er seinen Nachtisch: Schokoeis mit Sahne. Aber auch das konnte sein heißes Gemüt nicht abkühlen.

Nachdem sie die Tische abgeräumt und gewischt hatten, hockten sich alle auf die Terrasse. Die Frühlingssonne knallte vom Himmel.

Matti zog sogar sein geliebtes Trikot aus.

„Mein Vater war auch schon hier", erzählte Yannick. „Mit der U21. In irgendeinen Tisch hat er seine Anfangsbuchstaben geritzt. Mal gucken, ob ich den finde ..."

Es konnte stimmen. Yannicks Vater hatte wirklich Profifußball gespielt. Bis ihn eine Verletzung zum Aufhören zwang. Kurz bevor er einen Vertrag bei Bayern München unterschreiben konnte.

Jetzt hockte er auf dem Dorf und trainierte seinen Sohn und einen Haufen anderer Fußballverrückter.

Noah legte sich ins Gras und döste ein bisschen. Was aus Yannicks Vater wohl mit gesunden Knien geworden wäre?, dachte er. Wahrscheinlich hätte ich ihn nie kennengelernt. Und wahrscheinlich würde er selbst nun auch nicht hier sitzen.

Ohne Training in einem richtigen Club hätten es weder er noch Hardy, Eule oder Matti in dieses Camp geschafft. Sicher nicht einmal Yannick. Wenn man es genau nahm, hatten sie alle ihr Glück auch irgendwie der Verletzung von Christian Wenzel zu verdanken.

Um Punkt zwei Uhr erwartete Hartmann die Spieler auf dem Platz. Kein Einziger kam auch nur eine Sekunde zu spät. Die Strafrunden von Noah und Hardy hatten ihnen allen eine Lektion erteilt: Lege dich nicht mit dem Trainer an!

„So, Männer", begann Hartmann. „Wir haben drei Sportplätze zur Verfügung. Jeden Nachmittag finden dort unsere Trainingsspiele statt. Zweimal dreißig Minuten."

Er ging zu einer Tafel, auf die ein Spielfeld gezeichnet war.

Hartmann ergänzte ein paar Kringel. „Das sind die Verteidiger. Früher standen die sich da hinten Löcher in den Bauch, bis mal ein Stürmer auftauchte."

Er malte Pfeile von den Kringeln bis an die Torlinie des Gegners. „Moderne Verteidiger aber rennen mit nach vorne. Machen das Spiel schnell. An den Außenlinien entlang, bis es nicht mehr weitergeht. Dann mit Ball am Fuß nach innen ziehen – oder flanken. Das will ich heute sehen."

Eule und ein paar andere Verteidiger nickten. „Noch mehr laufen", knurrte er leise. „Ich dachte, ich könnte mich beim Spiel ein bisschen ausruhen."

Er zwinkerte seinen Freunden zu.

„Marlon geht immer mit nach vorne", verkündete

Pierre, als ihre Mannschaft auf den Platz lief. „Moderner Fußball wird in der Großstadt längst gespielt."
Noahs Faust begann zu jucken. Aber er beherrschte sich. Fast. Ein blöder Spruch musste sein. „Na, dann werden wir ja jetzt immer 30:0 gewinnen."
Im Anstoßkreis schob er sich mit Pierre den Ball zu. Auch das gehörte eben zum Fußball: Auf dem Platz war jede Feindschaft vergessen. Sonst konnte man gleich einpacken.
Noch einmal kickte er die Kugel zu Pierre. Dann stürmten sie aufs Tor.
Doch kurz vorm Sechzehner war Schluss.
Ein dunkelhäutiger Verteidiger luchste Pierre den Ball ab. Zog anschließend an Matti vorbei. Umdribbelte Marlon mit einer Körpertäuschung. Haute die Flanke in die Mitte.
Und dann schlug der Albtraum jeder Abwehr zu: Schädel. Wie ein Känguru hob er ab. Nickte gegen den Ball. *Pock!* Und die Kugel zappelte im Netz.
Hartmann applaudierte. „Bravo, Jay-Jay! Du hast genau verstanden, was ich von euch will. Weiter so!" Er schrieb etwas in sein Notizbuch.
Noah schnaufte. Es war alles andere als einfach hier. Wenn er auch in der zweiten Woche noch im Camp sein wollte, musste er mehr geben als hundert Prozent.

Er hatte einen Traum. Und den durfte er nicht verspielen. Schon gar nicht wegen Vollspacken wie Marlon und Pierre.

KAPITEL 5

RACHE

Jay-Jay und Schädel lieferten eine Traumkombination nach der anderen ab. Nur Hardys Glanzparaden hielten sie im Spiel.

Matti schickte Noah ein paarmal steil. Aber ein Zusammenspiel mit Pierre oder Marlon fand einfach nicht statt.

0:2.
0:3.
1:3. Kurz kam Hoffnung auf.
Doch sofort im Anschluss fiel das 1:4.
2:4.
Dann kam Noahs goldene Minute. Innerhalb von zweiundfünfzig Sekunden haute er zwei Bälle ins Netz. Einen Zauberfreistoß, wie ihn keine fünf Mann auf der Welt beherrschen. *Wamm!*, unter die Latte. Und dann ein doppelter Doppelpass mit Matti, der die ganze Abwehr alt aussehen ließ.
Endstand 4:4. Mit Ach und Krach.
„Das ist keine Mannschaft", schimpfte Noah auf dem Weg ins Zimmer. „Wir sind sechs Spieler plus zwei Vollidioten. Eigentlich müssten wir drei Tore Vorsprung bekommen."
Yannick, Eule, Hardy und Matti nickten.
Im Zimmer angekommen, kletterte Noah erschöpft die Leiter hoch und schmiss sich ins Bett.

Eine drittel Sekunde später sprang er wieder auf. Wie von der Tarantel gestochen. Sein ganzer Rücken war nass.
„Die haben mein Laken unter die Dusche gehalten!", schimpfte er los. Er ballte die Fäuste. „Nicht mit mir!"
„Wen meinst du?" Eule ließ sich in die Federn sinken.
Auch Yannick lag schon auf seiner Matratze.
„Na, wen wohl?", fauchte Noah. „Marlon und Pierre." Wütend wollte er ins Nachbarzimmer stürmen. Sich die beiden vorknöpfen. Aber Hardy und Matti stellten sich ihm in den Weg.
„Komm wieder runter", sagte Hardy. „Das wollen die doch nur. Du knallst denen eine – und dann schmeißt Hartmann dich raus."
Matti nickte. „Und wir müssen die Deppen dann ohne dich ertragen."
Eule richtete sich wieder auf. „Außerdem ist Gewalt keine Lösung."
Noah holte tief Luft. „Ihr habt Recht. Aber dann muss ich mir eine andere Antwort einfallen lassen. Von der Hartmann nichts mitkriegt."
Yannick richtete sich auf. „Mein Vater hatte auch so einen Penner in der Mannschaft", berichtete er. „Dem haben sie eine Abreibung verpasst, die sich

gewaschen hat." Er grinste. „Genau das Richtige für Marlon und Pierre."
Noah wurde neugierig. „Und das wäre?"
Yannick winkte die vier Freunde zu sich ans Bett. „Wir brauchen zwei Eimer mit lauwarmem Wasser", flüsterte er verschwörerisch. „Den Rest werdet ihr schon sehen. Um Mitternacht."
Nach den Qualen des Tages war es verdammt schwer, die halbe Nacht wach zu bleiben. Aber Noah schaffte es.
Der Gedanke daran, es den Typen heimzuzahlen, schmeckte einfach zu süß.
Als sein Handy piepste, stieg er leise die Leiter hinunter. Weckte Hardy. Weckte Yannick, Eule und Matti.
Yannick hatte zwei Eimer aus dem Putzraum besorgt. Im Waschraum füllten sie die mit Wasser. Dann wieder nach draußen. Die Gänge waren dunkel.
„Ich hoffe, das wird nicht so 'n Babykram", zischte Noah. „Wenn Hartmann uns erwischt, ist der Ofen aus."
Yannick grinste. „Babys? Das geht in die richtige Richtung."
Matti öffnete die Tür zum Nachbarzimmer. Alle sechs Jungen lagen ruhig in den Betten. Marlon und Pierre unten.

Yannick winkte Noah, Eule, Matti und Hardy, ihm zu folgen. Auf Zehenspitzen schlichen sie zu den Betten.

Noah war gespannt, was Yannick vorhatte. Den beiden Wasser über den Kopf kippen?

Doch Yannick stellte die Eimer ab. Prüfte noch einmal die Temperatur. Dann hängte er Marlons Hand ins Wasser. Vorsichtig, Zentimeter für Zentimeter.

Marlon schnaufte kurz, wachte aber nicht auf.

Mit Pierre machte er das Gleiche. Anschließend zeigte Yannick auf die Tür. Zwanzig Sekunden später waren alle wieder in ihren Betten.

Hardy konnte seine Enttäuschung nicht verbergen. „Dafür musste ich nachts aufstehen?"

Noah runzelte die Stirn. „Tolle Rache – nasse Fingerspitzen."

Yannick schüttelte den Kopf. „Nein, nasse Laken. Die beiden werden ins Bett pinkeln. Alter Pfadfindertrick."

Eule polierte aufgeregt seine Brillengläser. „Im Ernst? Du hängst die Hand deines Feindes ins Wasser und der pieselt los?"

Yannick nickte. „Klappt immer!"

Noah fiel es schwer, wieder einzuschlafen. Dauernd musste er an Marlon und Pierre denken.

Klar, dass sie am nächsten Morgen die Ersten im Speisesaal waren. Gespannt wie die Flitzebogen. Keiner wollte auch nur eine Sekunde die dummen Gesichter verpassen.

Als die beiden endlich beim Frühstück auftauchten, grölten ihre vier Zimmergenossen sofort laut los.

„Esst da drüben!", brüllte ein spindeldürrer Typ mit eckiger Brille. „Bei uns am Tisch sind schon alle Plätze besetzt."

Mit hochroten Köpfen gehorchten Marlon und Pierre.

Noah lachte in sich hinein. Voller Genugtuung biss er in sein Marmeladenbrot.

Dann sagte er fröhlich zu seinen Freunden: „*Aktion Badesee* war ein voller Erfolg!"

KAPITEL 6

KOPFSCHMERZEN

Den Rest der Woche über hatten die *Landeier* Ruhe vor Marlon und Pierre. Kein einziger blöder Spruch kam den zweien mehr über die Lippen. Und Rache gab's auch nicht.

Noah hatte für jede Nacht eine Wache eingeteilt. Er wollte schließlich nicht selbst in einer warmen Pfütze aufwachen.

Auf dem Fußballplatz klappte es mit den beiden weiterhin nicht. Sie spielten ab, wenn es nicht mehr anders ging. Aber ein richtiges Spiel kam so nicht zustande.

Stand jedoch Hartmann am Spielfeldrand, drehten Marlon und Pierre auf. Als hätte jemand ihre Batterien ausgewechselt.

Plötzlich rannten und flankten sie. Schossen aus allen Lebenslagen aufs Tor. Und spielten Traumpässe auf Noah oder Matti.

Sobald Hartmann sich seine Notizen gemacht hatte

und zu einem anderen Spiel ging, standen sie wieder wie Slalomstangen auf dem Platz. Lustlos. Und überheblich.
Die Woche verging wie im Flug.
Morgens Athletik-Training zum Muskelaufbau. Anschließend Taktik-Schulung an Hartmanns Tafel. Nachmittags die Übung zwei gegen zwei. Und dann ein kurzes Spiel.
Noah sog jedes Wort des Trainers auf wie ein Schwamm. Hartmann war ein harter Hund. Aber er war auch ein genialer Trainer. Mit viel Wissen und einem scharfen Auge.
Außerdem hatte er hier auf dem Platz schon so manchen Nationalspieler trainiert. Als die noch Kinder

waren. Und wenn Hartmann gut drauf war, erzählte er Geschichten von den Knirpsen und was aus ihnen geworden war.

„Wann kommt eigentlich Mats Hummels?", erkundigte Eule sich am vierten Tag.

Hartmann lachte. „Ja, das Gerücht habe ich auch gehört. Aber es ist leider nicht mehr als das: ein Gerücht. Ihr müsst allein mir vertrauen."

Noah und seine Freunde liebten das Camp trotzdem. Sogar die zehn Runden liefen sie nun fast ohne Murren. Doch je näher das Wochenende rückte, desto größer wurde auch die Angst. Die Angst, das Camp verlassen zu müssen.

Freitagmittag aßen alle schweigend.

„Wusste gar nicht, dass achtundvierzig Männer so leise sein können!", feixte Hartmann nach dem Essen. „Ruht euch noch eine Stunde aus. Und dann zeigt mir ein letztes Mal, was ihr draufhabt."

Er hob den Umschlag hoch. Jeder im Raum wusste, was darin war: die Eintrittskarten zum Spiel Deutschland gegen Brasilien.

Achtundvierzig Spieler hätten ihr letztes Hemd gegen eine Karte eingetauscht. Denn sie bedeutete mehr als einen unvergesslichen Tag mit Nationalspielern. Wer sie bekam, war auch die zweite Woche im Camp mit dabei.

Eule schob den Nachtisch von sich weg. Unangetastet.

„Mir ist irgendwie der Appetit vergangen", jammerte er. „In meinem Magen rumpelt es, als wär's eine Brausefabrik."

Matti seufzte laut. „Habt 'ne schöne zweite Ferienwoche ohne mich ..."

Hardy winkte ab. „Quatsch, du wirst schon nicht nach Hause geschickt."

Matti grinste breit. „Ich? Natürlich nicht! Aber ihr!"

Noah, Eule und Hardy bearbeiteten ihn mit den Fäusten. Knufften ihn durch wie einen alten Sandsack. Bis Matti verzweifelt um Gnade winselte. Er hörte sich an wie ein jaulender Pudel.

Noah lachte mit den anderen, dabei war ihm gar nicht danach zumute. Zu oft hatten ihn Marlon und Pierre auf dem Platz schlecht aussehen lassen. Immer genau dann, wenn Hartmann neben dem Spielfeld gestanden hatte.

Und noch etwas bereitete ihm Kopfschmerzen: Im entscheidenden Spiel standen ihnen wieder Schädel und Jay-Jay gegenüber. Wie sollten sie die zwei bloß in Schach halten?

KAPITEL 7

ZUSAMMENSPIEL

Zu acht standen sie im Kreis am Sechzehner. Die Arme auf die Schultern der Nachbarn gelegt.

Eine gute Gelegenheit, die zwei Querulanten im Team anzusprechen.

„Marlon? Pierre?" Noah sah die beiden ernst an. „Es geht um uns alle. Jeder will auch in der nächsten Woche noch hier sein. Aber das wollen vierzig andere Spieler auch. Jeder von uns muss sein Bestes geben. Für sich. Und für das Team. Sonst hat keiner von uns acht eine Chance."

Pierre und Marlon nickten. Aber ob sie seine Worte auch ernst nahmen, würde sich erst im Spiel zeigen. Die anderen vier Mannschaften breiteten sich auf der Tribüne aus. Keiner machte Quatsch oder hatte die Augen geschlossen. Alle wollten sehen, was die Gegner draufhatten.

Für Noah noch mehr Ansporn, es allen zu zeigen.

Hartmann pfiff das Spiel an.

Noah spürte, wie ihm das Blut durch die Adern schoss. Wie heiße Lava. Sein Herz schlug schneller als ein Presslufthammer. Es forderte Tore, Tore, Tore. Und die sollte es bekommen!

Vom Anstoß aus schickte Matti Noah in die Hälfte der Gegner. Doch Schädel tauchte wie eine lebendige Mauer vor ihm auf. Noah versuchte einen Trick, blieb aber an dem Riesen hängen.

Schädel legte zurück auf einen schlaksigen Typ mit Sommersprossen. Dann walzte er wie ein Truck auf Hardy zu.

Der Schlaksige passte nach außen, wo Jay-Jay schon angerauscht kam.

Marlon grätschte, doch Jay-Jay lupfte den Ball geschickt über das ausgestreckte Bein. Sprang hinterher. Flankte.

Schädel übersprang Eule und Finn – und traf. Mit einem *Knock!* rammte er den Ball Richtung Tor.

Hardy streckte sich, als wäre er aus Kaugummi. Kam mit den Fingerspitzen ran. Und lenkte den Ball an die Latte. *Batsch!*
Das Aluminium vibrierte.
„Bravo, Jay-Jay! Spitze, Stefan! Astrein, Hardy!", brüllte Hartmann über den Platz.
Worte, die Noah wehtaten. Weil sein Name in der Auflistung fehlte. Es wurde höchste Zeit, ihn hinzuzufügen!
Abschlag Hardy.
Eule nahm den Ball an und lief die Linie entlang. Wie Hartmann es wollte. Und Eule machte seine Sache gut. Trickste zwei Gegner aus, schlug dann einen Haken und rannte nach innen.
Kurz vor dem Sechzehner spielte er einen No-Look-Pass in die Mitte. Auf Pierre.
Pierre lief alleine auf den Torwart zu.
Der Torwart kam raus.
Pierre musste ihn umkurven. Oder abspielen.
„Hier!", brüllte Noah. Er stand frei. Allein vor dem leeren Tor.
Doch Pierre entschied sich dafür, es selbst zu machen. Er versuchte, den Ball über den Torwart zu lupfen. Der schlug ihn mit der Hand ins Aus.
„Warum spielst du nicht ab, du Idiot!", keifte Noah Pierre an.

Der Fiesling lachte nur. „Damit du das Tor machst und nächste Woche hier bist? Nee, da mach ich's lieber selbst. Wenn nicht jetzt, dann später."

Noah wollte ihm den Vogel zeigen, ließ es aber bleiben. Denn schon rollte die nächste Angriffswelle heran.

Diesmal tankte sich Jay-Jay durch die Mitte.

Noah rutschte am Ball vorbei.

Auch Matti und Eule sahen alt aus.

Alle erwarteten eine Flanke auf Schädel. Doch Jay-Jay spielte den zweiten Stürmer an.

Der lief ein paar Schritte und zog dann ab.

Hardy faustete ihn weit ins Seitenaus.
Nach diesen Schrecksekunden fand Noahs Team besser ins Spiel.
Jay-Jay wurde gedoppelt, sobald er am Ball war. So entstanden Freiräume im Mittelfeld, die Matti durch hohe Laufbereitschaft schloss.
Schädel hing nun in der Luft.
Doch die Defensivarbeit lähmte die Offensive. Noah kam kaum noch in die Nähe des Kastens.
Pierre versuchte es noch zweimal mit Distanzschüssen, aber die brachten nichts Zählbares ein.
Mit 0:0 ging es in die Pause.
„Weiter so!“, heizte Noah seinen Jungs ein. „Hinten muss die 0 stehen. Irgendwann tut sich eine Lücke auf – und dann stoßen wir zu wie eine Kobra. Eiskalt, blitzschnell und hochgefährlich!“
Doch auch in der zweiten Hälfte rieben sich die Mannschaften im Mittelfeld auf.
Eule machte einen fantastischen Job gegen den bald doppelt so großen Schädel. Der Stürmer bekam keinen Stich mehr.
Und endlich, zwei Minuten vor dem Ende, kam sie: die Chance.
Matti spielte einen genialen Pass, wie ihn selbst Messi nur alle zehn Jahre hinbekommt. Durch drei Mann hindurch, direkt in den Lauf von Noah.

Der Linienrichter zuckte einen Augenblick. Erkannte dann aber: kein Abseits.
Noah schaltete den Turbo ein. Flitzte mit dem Ball am Fuß schneller als die halbe Abwehr. Wurde leicht nach links abgedrängt, zog aber auch an Jay-Jay vorbei. Freie Bahn bis zum Tor.
Mach ihn rein!, rief eine Stimme in seinem Kopf. *Hau sie aus den Socken!*
Nur noch der Torwart stand im Weg.
Wenn du den reinmachst, bist du nächste Woche dabei!
Dann bemerkte Noah einen Schatten halb hinter sich. Er trug Noahs Farben. Pierre. Am Elfmeterpunkt stoppte der Schatten.
Wenn Noah jetzt querlegte, war der Ball drin. Hundertprozentig.
Mach's allein!
Noch ein Schritt.
„Verdammt!", fluchte Noah. Dann passte er auf Pierre.
Pierre musste nur den Schuh hinhalten und schon machte es *Pock!*
„Tooooor!" Pierre rannte grölend zur Eckfahne. Riss sich das Trikot übers Gesicht. Ging in die Knie. Als hätte er eben die Champions League gewonnen.
Marlon lief strahlend zu ihm. „Geil, Mann!", jubelte

er. „Der beste Spieler im Team hat auch das Siegtor geschossen!"

Kurz darauf war Schluss.

Mit gesenktem Kopf schlich Noah vom Platz. Sie hatten das Spiel gewonnen. Aber er fühlte sich wie ein Verlierer. Warum hatte er nicht selbst geschossen? Hatte er keinen Mumm in den Knochen?

KAPITEL 8

FREUNDSCHAFTSSPIEL

Es war eine Qual, sich noch die restlichen Spiele ansehen zu müssen.
Jeder versuchte, die eigenen Leistungen mit denen der anderen zu vergleichen. Ist der besser? Kann ich auch solche Pässe spielen? Hätte ich den gehalten? Gute Szenen wurden beklatscht. Aber insgeheim freuten sich alle, wenn ein Schuss danebenging. Oder wenn der Torwart wie ein Fliegenfänger durch den Strafraum segelte. Ein Konkurrent weniger.
Noah fühlte sich mies. Warum hatte er nicht selbst das Tor geschossen? Hartmann glaubte jetzt bestimmt, er wäre ein totales Weichei. Das Nervenflattern bekam, wenn es ernst wurde. So einen Spieler konnte er gewiss nicht gebrauchen.
Aus Sekunden wurden Stunden. Nach einer Ewigkeit pfiff der Schiri endlich das letzte Spiel ab.
Hartmann und seine Assistenztrainer winkten alle in den Mittelkreis.

Schweren Herzens nahm Noah Platz. War das sein letzter Moment in diesem großartigen Stadion? Platzte sein Traum von einer Fußballerkarriere nun wie eine Seifenblase? Er war sich beinahe sicher.

„So, Männer", begann Hartmann wie immer. „Sieben Tage sind um. Ihr habt alle viel gelernt. Jeder von euch hat einen großen Schritt nach vorne gemacht. Wir sind stolz auf euch."

Er holte tief Luft. „Ich würde euch gerne alle hierbehalten, aber wir brauchen nur vierundzwanzig Spieler. Wir haben uns entschieden für …"

Hartmann schlug sein Notizbuch auf. Doch bevor er die Namen verlesen konnte, meldete sich Pierre zu Wort.

Noah merkte, wie sich ein Klumpen in seinem Bauch bildete. Schwer wie ein Stein.

„Musst du aufs Klo?", rief Matti laut. „Den Weg sparst du dir doch sonst auch."

Alle Jungen lachten.

Über das Missgeschick der beiden wusste längst jeder Bescheid. Die Nachricht hatte sich wie ein Lauffeuer im Camp ausgebreitet.

Pierre lief rot an, tat aber ganz cool. „Trainer, die Mannschaften waren nicht gut eingeteilt", beschwerte er sich. „Die Landeier spielen so schlecht, da hatten wir gar keine Chance, unser wirkliches

Können zu zeigen! Aber mein Tor am Ende hat ja zum Glück bewiesen, was ich draufhabe."
Noah blieb die Luft weg. Er wollte schon etwas Böses erwidern, da hob Hartmann die Hand.
„Danke, Pierre, deine Bemerkung hilft mir sehr. Wer sich so mies gegenüber seinen Mitspielern verhält, wie du gerade, hat in meinem Team nichts verloren. Ihr beiden – Marlon und du – könnt schon mal die Koffer packen."
„Aber ..."
Hartmann ließ ihn nicht zu Wort kommen. „Ich habe hier nämlich aus dem letzten Spiel eine astreine Aktion von einem *Landei* notiert", fuhr er fort. „In der letzten Minute spielt Noah quer, anstatt auf Risiko zu gehen. So was machen nur Spieler, denen das Team wichtiger ist als der eigene Erfolg. Solche Männer suche ich!"
Noah ballte die Faust. Er war dabei.
Eule auch.
Hardy war mit Glanzparaden in die Mannschaft gehechtet.
Matti durch seinen Traumpass.
Schädel und Jay-Jay hatten es durch ihr blindes Verständnis auf dem Platz geschafft.
Yannick durch solide Abwehrarbeit.
Hartmann las noch siebzehn weitere Namen vor.

Der Rest musste die Heimreise antreten, darunter auch Finn aus ihrem Zimmer.
Zur Feier des Tages strich Hartmann die Nachtruhe. Bis um drei Uhr morgens hockten die auserwählten Spieler im Clubraum zusammen. Spielten Karten, erzählten Geschichten und stopften Tonnen von Chips in sich hinein.
Eule nahm mit seinem neuen Handy die Gespräche auf und spielte die lustigsten Sprüche immer wieder ab.
Matti war mit seinen Witzen der König des Abends. Als selbst ihm nichts mehr einfiel, gingen alle schlafen.
„Männer ...", schnaufte Eule mit letzter Kraft. „Der Traum geht weiter." Schon war er eingeschlafen. Das neue Handy immer noch fest in der Hand.

Am nächsten Morgen hämmerte es um acht Uhr gegen die Türen. Trotz der kurzen Nacht waren alle sofort wach. Noch keiner hatte ein Spiel der Nationalelf gesehen.
Um zehn fuhr der Bus Richtung Stadion ab.
Um zwölf standen Eule, Noah, Hardy, Matti und die anderen auf dem Platz. Mitten zwischen den Nationalspielern!

Ein absoluter Traum.
Mats Hummels erklärte Schädel, wie er noch besser köpfen könne.
Mario Gómez zeigte Noah die perfekte Ballannahme vor dem Tor.
Matti durfte Manuel Neuer drei Elfmeter draufhauen.
Und auch Schürrle, Podolski, Schweinsteiger, Lahm und Özil nahmen sich Zeit für die Fragen der Nachwuchskicker.
Als sie nach sechzig Minuten den Rasen verlassen mussten, glühten Noahs Wangen.
Eules Brille war beschlagen, so aufgeregt war er.
Matti schwebte auf Wolke sieben, denn ein Elfer war drin gewesen. Gegen Manuel Neuer!
Und Hardy hatte einen Schuss von Khedira abgewehrt.
Das anschließende Spiel genossen sie von der Ehrentribüne aus.
Am Ende schoss Eule mit seinem Handy sogar noch ein Foto von Noah und der ganzen brasilianischen Nationalelf.
Noah schickte es sofort zu seinem Vater.
„Luiz wird Augen machen!" – Das sagte er mindestens fünfunddreißig Mal auf der Heimfahrt.
Auch Hardy strahlte über das ganze Gesicht. „Das war der schönste Tag meines Lebens. Mindestens!"

Und Eule fügte hinzu: „Außerdem wird das Training noch besser. Alle Stinkstiefel sind ja nach Hause gefahren."
Aber das war leider ein großer Irrtum.

KAPITEL 9

OSTERÜBERRASCHUNG

Am Sonntagmorgen wurde Noah von einem Knistern geweckt. Matti fummelte an einer riesigen Plastiktüte herum, die in seinem Koffer lag.
„Was machst du denn da?“, herrschte Noah ihn an. „Ich will noch pennen!“
Erschrocken stopfte Matti die Tüte zurück in den Koffer. „Nichts. Ich suche nur mein Badehandtuch.“
„Wir mussten doch gar keine mitbringen“, sagte Eule verschlafen. „Die liegen alle im Duschraum.“
Auch später beim Anziehen benahm Matti sich merkwürdig. Er trödelte ungewöhnlich lange herum. Obwohl er doch sowieso immer nur sein Trikot und die Sporthose trug.
„Geht schon vor!“, rief er, als alle zum Frühstück aufbrechen wollten. „Irgendwie passen meine Hose und mein Hemd nicht zueinander …“
„Seltsam“, murmelte Hardy auf dem Gang. „Vielleicht ist er krank?“

Als sie beim Essen saßen, flog plötzlich die Tür zum Speisesaal auf.
Ein Hase hoppelte herein. Ein Meter fünfzig groß. Mit einem Korb unterm Arm.
„Frohe Ostern, ihr Eierköppe!", rief der Hase.
Noah prustete seinen Früchtetee über den halben Tisch.
Das war Matti! In einem flauschigen Kostüm!

Sein Kumpel hüpfte von Spieler zu Spieler und verteilte Schokoeier.
Hartmann und die anderen Trainer bekamen Lutscher aus Schokolade.
Hartmann lachte herzlich. „Wir haben auch ein paar Eier versteckt. Draußen auf dem Platz." Er grinste. „Die findet ihr am besten, wenn ihr zehn Runden lauft!"
Die Spieler protestierten, aber es half nichts.
Nach dem Aufwärmen teilte Hartmann zwei Mannschaften ein. Rote Trikots, blaue Trikots. Dabei riss er schon bestehende Blöcke nicht auseinander.
Das hieß, Noah, Hardy, Eule, Matti und Yannick blieben zusammen. Außerdem wurden ihnen Jay-Jay und Schädel zugeteilt. Mit fünf weiteren Jungs bildeten sie das rote Team.
„Super Verstärkung!", jubelte Eule und strich sich durch das kurze Haar.
Noah fand, dass auch die anderen fünf Jungs nett wirkten. Kein Wunder, denn sie wählten ihn einstimmig zu ihrem Kapitän.
„Vielen Dank", sagte Noah stolz. „Wir sollten in dieser Woche nicht an uns denken, sondern nur an die Mannschaft. Am Samstag spielen wir das wichtigste Turnier unseres Lebens. Da müssen wir uns blind verstehen."

„Wir brauchen noch einen Namen", schlug Eule vor. Matti feixte. „Wir nennen uns *Die späteren Gewinner*! Dann muss Hartmann immer sagen: Jetzt spielen die Blauen gegen *Die späteren Gewinner* in Rot."
Alle lachten.
Es wurden noch ein Dutzend Vorschläge gemacht und wieder verworfen.
Dann meldete sich Jay-Jay zu Wort. *„Torfabrik!"*
Alle Roten waren sich einig: *Torfabrik*, das war der Name!
Hardy hob die Faust: „Einer für alle, alle für einen!"
„Einer für alle, alle für einen!", echoten die anderen elf.
Hartmann blies in seine Pfeife. „Bevor ich mit euch ein bisschen Taktik-Training mache, will ich ein Spiel sehen. Zweimal zwanzig Minuten, über das ganze Feld. Und denkt dran: Ich schreibe jede Aktion von euch auf. Mein Ziel am Samstag ist mindestens Halbfinale. Also haut rein, als ginge es heute schon um die Weltmeisterschaft! Die bessere Mannschaft stellt beim Turnier die Startelf!"

KAPITEL 10

PROVOKATION

Später wusste Noah auch nicht, wie er drauf gekommen war. Aber er probierte etwas Neues aus. Etwas noch nie Dagewesenes.

„Jay-Jay, zu mir in den Mittelkreis!“

Freund und Feind staunten. Einen Verteidiger beim Anstoß hatte noch niemand gesehen.

Auch Hartmann nicht. Interessiert sah er sich das Experiment an.

„Du spielst zu mir“, flüsterte Noah. „Und dann ab mit dir nach vorne wie ein ICE. Ich schicke dir die Pille per Eilpost hinterher.“ Er zwinkerte Jay-Jay zu.

Jay-Jay zwinkerte zurück. Seine Augen strahlten.

Noah merkte sofort, der Junge war ein prima Kumpel.

Als der Schiri anpfiff, zogen sie das Ding durch.

Jay-Jay jagte durch die gegnerische Abwehrreihe, als wäre der Teufel hinter ihm her. Damit hatte wohl niemand gerechnet.

Noah umtanzte zwei Gegner und schob dann butterweich nach außen.
Jay-Jay kam an die Kugel, lief bis zur Grundlinie und hob sie über zwei Abwehrspieler genau auf den Kopf von Schädel.
Der erwischte den Ball perfekt mit der Stirn.
Pock! 1:0! Nach neun Sekunden!
Alle Roten jubelten.

Nur Noah nicht. Sein Gegner war ihm auf den Fuß getreten.
„Kannst du nicht aufpassen?"
Der andere zuckte mit den Schultern. Er hieß Kevin und war einen Kopf größer als Noah. „War ein Versehen. Stell dich nicht so an."
Anstoß der Blauen.
Die Jungs warfen alles nach vorne. Wütend über die Demütigung.
Kevin zwirbelte die Lederkugel über den halben Platz. Zwei seiner Männer hatten sich freigelaufen.
Aber Eule spitzelte den Ball im letzten Augenblick ins Seitenaus.
Der Einwurf brachte nur wenige Meter Raumgewinn.
Die Blauen standen einfach immer goldrichtig.
Kurz vor der Pause tankte sich Schädel mit voller Wucht durch. Legte im richtigen Moment quer auf Noah.

Noah sah die Lücke, holte aus und … bekam den Ellenbogen von Kevin in die Rippen.
Noah sah Sternchen.
Sein Schuss kullerte auf den Torwart zu.
Ein Abwehrspieler pöhlte den Ball aus der Gefahrenzone.
„Hör auf damit!", schnauzte Noah Kevin an.
„Womit denn?", fragte Kevin mit Unschuldsmiene. „Der Schiri hat doch nicht gepfiffen, oder?"
Noah war auf hundertachtzig. Aber die erste Halbzeit war sowieso vorbei.
Danach kamen die Blauen besser aus der Kabine. Irgendwie wacher. Als hätten sie kein Blut in den Venen, sondern Kaffee.
Drei-, viermal spielten sie Noah und seine Männer schwindelig. Aber kurz vor dem Strafraum war immer Schluss. Yannick, Eule und Jay-Jay machten hinten alles dicht.
Dann jedoch unterlief Jay-Jay ein Patzer. Er wollte den Ball zu Hardy zurückspielen, hatte aber den Stürmer der Blauen nicht gesehen.

Der gewann das Laufduell mit Hardy und schob den Ball an ihm vorbei über die Linie.

„Scheiße!", entfuhr es Jay-Jay.

Keiner widersprach.

Erst Mitte der zweiten Halbzeit tat sich die nächste Chance für die Roten auf.

Yannick war bis zur Mittellinie gelaufen. Halbhoch spielte er Noah den Ball zu.

Noah nahm ihn an. Zeitgleich spürte er den Schmerz am Oberschenkel. Kevin hatte ihm einen saftigen Pferdekuss verpasst. Das Knie volle Möhre gegen den Muskel gehauen. Und das war garantiert kein Versehen gewesen.

Noah explodierte. „Du Arsch!", rief er. Er versuchte aufzutreten, aber es wurde nur ein Humpeln daraus.

Kevin mimte den Unschuldsengel. Aber der Schiri zückte die Gelbe Karte.

Noah wollte sich schon zufrieden wegdrehen. Da kapierte er: Er, Noah, sah Gelb! Nur weil ihm ein Schimpfwort rausgerutscht war.

„Der tritt mich dauernd!", rief er außer sich, was den Schiri jedoch nicht überzeugte.

Als Noah nicht aufhörte zu schimpfen, nahm Hartmann ihn vom Feld.

Nur eine Minute später schoss Kevin das Siegtor für die Blauen.

KAPITEL 11

EINE GANZ FIESE NUMMER

Noah stampfte zum Wohngebäude hinüber. Sauer wie eine Wagenladung Zitronen.

„Das muss der Schiri doch sehen!", brüllte er. „Hat der Tomaten auf den Augen?"

Hardy versuchte, seinen Kapitän zu beruhigen. „Der hat eben immer erst zugehauen, wenn der Ball schon woanders war."

Noah boxte in die Luft. „Im nächsten Spiel knöpfe ich mir den Gorilla vor!"

Eule lachte. „Gorilla ist gut!" Dann wurde er ernst. „Aber verprügeln darfst du ihn nicht. Schon gar nicht auf dem Platz – da kannst du bis an dein Lebensende gesperrt werden!"

Noah knurrte. Seine Freunde hatten ja

Recht. „Aber wie sollen wir Kevin sonst klarmachen, wo die Grenze ist?"

Yannick rieb sich das Kinn. „Bei Hartmann verpetzen?"

Matti winkte ab. „Was soll das bringen? Er hat's ja gehört. Aber solange er das nicht mit eigenen Augen sieht, steht Wort gegen Wort."

Hardy nickte. „Genau, beiß die Zähne zusammen, wenn er dich wieder tritt. Sonst heißt es schnell, du wärst 'ne Heulsuse und wolltest Freistöße schinden."

Jay-Jay sagte nichts. Er war voll durchgestartet – mit einem Assist. Später aber kaum noch aus der eigenen Hälfte herausgekommen. Jetzt machte er ein trauriges Gesicht.

„Kommst du noch mit in den Clubraum, 'ne Limo schlürfen?", fragte Matti ihn.

Jay-Jay schüttelte den Kopf. „Nein, ich geh auf mein Zimmer ..."

Eule zog die Stirn kraus. „Ob er Heimweh hat?"

Noah zuckte mit den Schultern. „Vielleicht mag er einfach keine Limo."

Nach dem Abendessen spukten die vier Freunde mit Yannick durch die Gänge der Sportschule. Die meisten der anderen Spieler waren schwer in Ordnung. Kevin war wirklich die Ausnahme.

Um zehn Uhr schickte sie einer der Co-Trainer auf die Zimmer. Zeit zum Schlafen.
Am nächsten Morgen jubelte Matti plötzlich los.
Noah schlug blinzelnd die Augen auf. Seine Uhr zeigte: *6:52*.
Da pfefferten Hardy und Eule Matti ihre Kissen an den Kopf.
„Hast du im Lotto gewonnen?", fragte Noah verschlafen.
Eule lachte. „Oder weißt du endlich, wie man *Ei* buchstabiert?"
Matti sprang wie ein Turner aus dem Bett. „Viel besser, Leute! Das ist mein erster Tag hier ohne Muskelkater!"
Das war aber auch das einzig Erfreuliche an dem Tag. Die *Torfabrik* bekam beim Trainingsspiel ordentlich eins auf die Mütze.
Kevin spielte fies wie eh und je.
Noah ging ihm möglichst aus dem Weg, aber so kam er eben auch nicht in den Strafraum.
Mit Jay-Jay ging es weiter bergab. Jetzt stocherte er nur noch mit seinen Stollen im Rasen herum. Gegner ließ er wehrlos vorbeiziehen.
Morgens verloren sie 6:2, am Nachmittag sogar 8:3.
Am Dienstag, Mittwoch und Donnerstag lief es auch

nicht viel besser. Die Mannschaft der Roten zerfiel immer mehr in ihre Einzelteile.
Hartmann war fassungslos. „Was ist los mit euch?", tobte er. „Ich dachte, ihr wollt am Wochenende in der ersten Mannschaft sein, nicht auf der Ersatzbank. Also: Morgen stehen hier wieder elf Männer auf dem Platz. Und ein bombiger Auswechselspieler. Zwölf Siegertypen, keine Memmen wie heute."
Alle nickten.
Noah wollte von Kevins andauernden versteckten Fouls erzählen, doch Hardy hielt ihn davon ab.
„Der erzählt nur wieder irgendein Märchen", raunte er Noah ins Ohr. „Wir müssen ihn einfach in Grund und Boden spielen."
Müde und enttäuscht liefen sie Richtung Duschen.
Eule ließ die Schultern hängen. „Also, ich kann nur gut spielen, wenn ich mich wohlfühle. Und Jay-Jay ... Wo ist der überhaupt?"
Als Matti sein Trikot auf die Bank warf, drang eine Stimme aus dem Nachbarraum.
„Hey, Schokoboy, tüchtig schrubben, ja!", höhnte Kevin. „Vielleicht geht die braune Farbe dann ab."
Noah verschluckte sich an seinem Wasser. „Habe ich das gerade richtig gehört?" Er war geschockt. Aber es ging noch weiter.

„Du spielst Fußball wie die Affen im Dschungel. Die haben dir das wohl auch beigebracht …"
Noah pfefferte seine Flasche in die Ecke.
Hardy trat neben ihn.
„Jetzt reicht's!", schnaubte Noah. „Morgen kann er sein Frühstück lutschen!"
Zum Glück stellte Eule sich ihnen in den Weg. „Dann fliegt ihr aus dem Camp und er kriegt seinen Stammplatz."
Er sah Noah, Hardy und Matti durch seine dicken Brillengläser hindurch verschwörerisch an. „Das müssen wir schlauer anstellen. Und ich weiß auch schon, wie."

KAPITEL 12

FALLE

Schritt eins: Die Freunde nahmen sich Jay-Jay zur Brust. Als er nach dem Duschen in seinem Zimmer verschwinden wollte, schob Hardy ihn in den Clubraum.

Matti schloss die Tür hinter ihm.

„Was ist los mit dir?" Noah legte den Arm um Jay-Jay. „Du hast mich zum Kapitän gewählt. Glaubst du nicht, du kannst mit deinen Sorgen zu mir kommen?"

Jay-Jay machte große Augen. Erst wollte er alles abstreiten, das konnte man sehen. Dann aber fasste er sich ein Herz.

„Ich habe Angst, Kevin macht noch was Schlimmeres als dumme Sprüche klopfen. Vor einem Jahr wurden mein kleiner Bruder und ich mit einem Messer bedroht. Von zwei

Typen aus der Stadt. Die sagten, wir sollen wieder dahin zurückgehen, wo wir hergekommen sind."
Jay-Jay sah Noah traurig an. „Ich bin doch in Deutschland geboren! Das hier ist meine Heimat!"
Matti schüttelte den Kopf. „Das tut mir wirklich leid, Jay-Jay. Ich schäme mich für Kevin."
Noah, Eule und Hardy nickten.
„Wenn unser Plan funktioniert, ist schon morgen damit Schluss!", versprach Noah. „Dann haben wir nämlich Beweise."
Schritt zwei: Am nächsten Tag erschien Jay-Jay noch vor dem Frühstück in Noahs Zimmer.
Yannick hatte vom Hausmeister eine Rolle Klebeband besorgt. Damit befestigten sie einen faustgroßen Gegenstand auf Jay-Jays Brust: Eules Handy.
„Ich habe alles eingestellt", erklärte Eule zum fünfundvierzigsten Mal. „Du musst nur unten links drauftippen, dann nimmt es jeden Piep auf."
Sie machten einen Probelauf.
„Ey, Schokoboy, der Ball gehört mir!" Hardys Kopf war knallrot. „Tut mir leid", entschuldigte er sich sofort. „Auch mit deiner Erlaubnis ist es für mich schlimm, so was zu sagen."
Aber die Aufnahme hatte geklappt. Hardy war gut zu verstehen.

Schritt drei: Jay-Jay sollte wieder genau so spielen wie in der vergangenen Woche. Als Kevin noch nicht sein Gegenspieler war.
Nach dem Warmlaufen kam Jay-Jay noch einmal zu Noah.
„Ich habe ein bisschen Angst", gab er zu.
Noah klopfte ihm auf die Schulter. „Hätte ich auch. Aber du tust das Richtige. Wenn er solche Sprüche zu dir sagt, macht er das bei anderen auch. Denen hilfst du damit genauso."
Hardy nickte. „Und wir lassen dich nie aus den Augen. Wenn der Gorilla handgreiflich wird, hat sein letztes Stündlein geschlagen! Auch wenn wir dann aus dem Camp fliegen. Wegschauen geht nicht!"
Dann pfiff Hartmann das Spiel an.
Im Laufen sah Noah immer wieder rüber zu Jay-Jay. Zunächst war er noch genauso unsicher wie die Tage zuvor.
Worte können schlimmer verletzen als Messer, schoss es Noah durch den Kopf.
Immer wenn Hardy einen Ball fing, landete sein Abschlag bei Jay-Jay.
Endlich nahm sich Jay-Jay ein Herz. Als niemand der Blauen mehr mit ihm rechnete, gab er Gas. Volles Tempo.
Mit einer Körpertäuschung ließ Jay-Jay seinen Ge-

genspieler aussteigen. Rannte an der Seitenlinie entlang bis zur Eckfahne.
Nun wäre eigentlich eine Flanke auf Schädel fällig gewesen. Aber Jay-Jay wartete auf Kevin. Er wollte es hinter sich bringen – das war allen Eingeweihten klar.
Schon stellte sich Kevin Jay-Jay in den Weg. Er machte keinen Versuch, sich den Ball zu holen. Nur sein Mund bewegte sich, wie Noah mitbekam. Und er sah die kleine Armbewegung von Jay-Jay.

Der Verteidiger tippte mit dem Daumen gegen sein Trikot. Fünf Sekunden lang schien die Welt stillzustehen. Dann schlug Jay-Jay einen Haken. Flankte.

Schädel stieg am höchsten. Und *Pock!*, wuchtete er den Ball mit der Stirn über die Linie.
1:0! Die *Torfabrik* war wieder zum Leben erwacht.
Jetzt ging ein Ruck durch die Mannschaft. Die Unsicherheit von Jay-Jay hatte alle gelähmt. Aber nun legten sie los wie die Feuerwehr.
Angriff auf Angriff rollte den Blauen entgegen. Die bekamen den Ball gar nicht mehr aus der Gefahrenzone heraus.
Fester und fester schnürte die *Torfabrik* den Gegner ein. Bis es klingelte.
2:0.
Dann 3:0.
Am Ende gingen die Roten sogar mit 8:2 vom Platz!
Aber den allergrößten Trumpf legte das Team nach dem Abpfiff auf den Tisch.
„Alle Achtung, Männer!", lobte Hartmann. „Aber jetzt müsst ihr mir mal erklären, was die letzten Tage mit euch los war."
Jay-Jay hob schüchtern die Hand. Als Noah ihm aufmunternd zunickte, sagte er mit zitternder Stimme:
„Ich habe mich heute einfach nicht von Kevins Sprüchen einschüchtern lassen."
Hartmann winkte ab. „Solltest du auch nicht. Im Eifer des Gefechts kann schon mal ein dummer Spruch fallen."

Noah sprang Jay-Jay zu Hilfe. „Das war aber kein Blödsinn wie: *Du kannst nichts.* Oder: *An mir kommst du nie vorbei.* – Spiel es ihnen vor, Kumpel!"
Vor den staunenden Augen aller Jungen und Trainer zog Jay-Jay das Handy unter seinem Trikot hervor.
Eule spielte die Aufnahme ab.
Keiner sagte ein Wort, bis alle die Beleidigungen gehört hatten.
Wortlos zückte Hartmann seinen Notizblock und strich einen Namen aus der Liste.
Dann erst sagte er: „Kevin, du packst sofort deinen Koffer und verlässt das Camp. Deine Eltern bekommen einen Brief von mir – wie auch dein Trainer zu Hause und dein Schulleiter. Wenn so etwas noch einmal vorkommt, wird die Polizei benachrichtigt."
Er wandte sich zu den anderen um. „Da waren es nur noch dreiundzwanzig."
„Entschuldigung ...", stammelte Kevin. Aber das half ihm jetzt auch nicht mehr. Wie ein geprügelter Hund zog er davon.
„Danke!" Jay-Jay legte einen Arm um Noah. „Du bist ein echter Kapitän. Auf dich kann man sich verlassen."
Noah nickte stolz. „Und auf deine Flankenläufe auch. Das wirst du uns morgen beim Turnier beweisen. Ich will ins Finale!"

KAPITEL 13

TURNIERAUFTAKT

Am nächsten Tag wimmelte es im Camp nur so von jungen Spielern. Die Auswahlmannschaften aus allen sechzehn Bundesländern waren gekommen. Dazu die Länderauswahl der Schweiz und von Österreich. Alle Sportplätze rund um das Stadion waren belegt. Die Luft roch nach Schweiß und Leder – der unverkennbare Fußballduft.
Noah genoss jede Sekunde. Er hockte mit Matti und Hardy in der Frühlingssonne. Auf einem Profifußballplatz. Wenn eine Fee mit drei Wünschen gekommen wäre, hätte er nur zwei gewusst: hier das Finale gewinnen und natürlich einen Flug nach Brasilien. Für ihn und seine besten Freunde.
Ein bisschen wehmütig dachte Noah an Sonntag. Dann war alles vorbei. Dieses grandiose Camp Vergangenheit. Er, Hardy, Eule und Matti spielten dann wieder auf ihrer Kuhwiese. Und bei ihrer Heimmannschaft in Rohrbach. Schule und Alltag.

Eule kam jubelnd angerannt. „Ich hab den Spielplan!"
Er breitete das Papier auf dem Gras aus. „Wir treten zuerst gegen das Saarland an."
Hardy beugte sich über den Plan. „Auch die anderen Mannschaften in unserer Gruppe können wir schlagen", sagte er. „Auf die Bayern jedenfalls treffen wir frühestens im Halbfinale."
Um Punkt zehn versammelten sich die Teams im Stadion. Achtzehn Mannschaften hockten in Gruppen auf der Tribüne. Dazu gut zweitausend Zuschauer.

Selbst Hartmann wirkte aufgeregt.
„Männer!", posaunte er ins Mikrofon. „Ihr seid die Besten der Besten – im deutschsprachigen Raum. Aber überall sonst in der Welt wird auch guter Fußball gespielt."
Hartmann räusperte sich. Und dann, als wäre es überhaupt nichts Besonderes, ließ er die Bombe platzen: „Im Mai findet in England eine Mini-WM der neun- und zehnjährigen Jungen statt. Der Ausrichter ist Sprintastic. Die Siegermannschaft des heutigen Turniers wird in London dabei sein!"
Sofort war das Gemurmel riesengroß.
„Aber das ist noch nicht alles", fuhr der Trainer mit einem breiten Grinsen fort. „Den Siegern der Mini-WM winkt ein ganz besonderer Preis: eine Reise nach Brasilien. Zum Endspiel der Weltmeisterschaft."
Hardy sackte die Kinnlade runter.
Eules Augen hinter den Gläsern funkelten wie Juwelen.
Auch Matti war ausnahmsweise mal sprachlos.
In Noah machte sich ein warmes Gefühl breit.
Da war sie: die lang ersehnte Chance. Das Sprungbrett nach Rio. Zu seinem Vater. Und zum weltgrößten Ereignis überhaupt.

Klar, bis dahin war es noch ein weiter Weg. Aber Träume verleihen Flügel. Das hatte Noah schon mehrfach erlebt. Auch wenn man seinen Träumen mit harter Leistung ein bisschen nachhelfen musste.
Er und seine Freunde hatten sich am Silvesterabend geschworen, alles dafür zu tun, um bei der WM in Brasilien dabei zu sein. Und mit einem Sieg heute konnten sie diesem Ziel ein großes Stück näher kommen.
Noah spannte die Muskeln an. Er würde rennen, bis ihm die Lunge aus dem Hals hing. Sich und sein Team an die Spitze bringen.
Im ersten Spiel putzten sie das Saarland mit 4:2 vom Platz.
Im zweiten waren sie zu überheblich, wie Eule nachher treffend feststellte. Nur ein 2:2 gegen Mecklenburg-Vorpommern.
Gegen Österreich verloren sie sogar knapp mit 2:3 durch einen dicken Klops von Hardy. Beim Abschlag war ihm der Ball irgendwie an den Handschuhen hängen geblieben und im eigenen Netz gelandet.
Im letzten Gruppenspiel musste nun ein Sieg mit drei Toren Vorsprung her. Um wenigstens Tabellenzweiter hinter Österreich zu werden.
Noah schwor seine Mannschaft ein. „Jeder von euch ist platt, ich weiß!", rief er in die Runde. „Aber das

sind die anderen auch. Ich will gewinnen. Ich muss gewinnen. Wenn ich auf eine Leiter steige, kehre ich nicht mittendrin um. Ich will nach oben!"
Hartmann klatschte in die Hände. „Ich hätte es nicht besser sagen können, Capitano!" Er grinste. „Strengt euch an. Ihr könnt es schaffen, denn ihr seid zu einem Team zusammengewachsen. Haut sie weg!"
Doch schon nach zwei Minuten schossen die Gegner ein Tor. Nur mühsam holte die *Torfabrik* auf.
1:1.
2:1.
3:1.
Aber ein Treffer fehlte noch, sonst waren sie draußen. Yannick beendete die Zitterpartie. Mit einem satten Fernschuss bezwang er den Torwart.
Da waren sie, die drei Tore Vorsprung! Sie hatten es geschafft. Sie waren unter den letzten vier Mannschaften. Das Halbfinale ihre nächste Hürde. Und weil Österreich ausgerechnet gegen das Saarland patzte, wurde Noahs Team sogar noch Tabellenerster.
Noch zwei Siege, dann gehörte sie ihnen: die Fahrkarte zur Mini-WM.

KAPITEL 14

AUF MESSERS SCHNEIDE

Vor dem Halbfinale waren alle so aufgeregt wie noch nie. Ihr Gegner war die Schweiz. Eine zähe, sagenhaft gute Mannschaft.
Noah kaute auf seinen Lippen herum, als wären sie weiche Bonbons.
Matti und Hardy versuchten, Mau-Mau zu spielen. Aber die Karten rutschten ihnen dauernd aus den Händen.
Und Eule rannte alle fünf Minuten aufs Klo.
Sechzehn Uhr. Endlich war es so weit.
Im ersten Halbfinale hatten sich wie erwartet die Bayern durchgesetzt. Mit einem bärenstarken 5:1 gegen Österreich.
Hartmann nahm sich seine Männer noch einmal zur Brust. „Macht weiter wie bisher. Konzentriert spielen. Flankenläufe über links und rechts. Seid ihr bereit?"
Alle nickten.

„Gut, dann ab mit euch! Ich will, dass eure Stollen glühen!“

Fünf Sekunden später pfiff der Schiedsrichter das Spiel an.

Es ging gut los. Die Schweizer hatten Anstoß, doch Schädel walzte sofort dazwischen. Seine bloße Größe schüchterte jeden Gegner ein. Schädel legte quer auf Noah.

Noah umspielte zwei Schweizer. Doppelpass mit Matti, der mitgelaufen war.

Noah war bis zur Eckfahne abgedrängt worden. Kickte zu Eule.

Eule flankte in die Mitte zu Matti.

Matti bekam den Ball nicht optimal serviert, nahm ihn aber perfekt mit dem Bauch an.

Er ließ ihn heruntertropfen und gab einen gezielten Schuss ab. Der Ball flog schneller, als Noah gucken konnte.

Zwei Sekunden hoffen.

Dann riss Matti die Arme hoch.

„Respekt!“, rief Noah.

Es war Mattis erstes Tor in diesem Turnier.

Und dann gleich ein so wichtiges!
Noah, Eule, Jay-Jay, Yannick, Schädel und die anderen sprangen Matti auf den Rücken. Bis er lachend zusammenbrach.

Sogar Hardy kam nach vorne gelaufen und klatschte sich mit Matti ab.
„So kann's weitergehen, Männer!", lobte Hartmann aus der Coaching-Zone. Aber leider tat es das nicht.
Die Schweizer konnten auch Fußball spielen. Und wie! Sakin, ihr wendiger, kleiner Stürmer, spielte die halbe Abwehr schwindelig. Typ Messi. Kaum zu stoppen. Und wenn, nur mit Fouls. Er war einfach flinker als jedes Abwehrbein.
Schnell hatte Jay-Jay sich die Gelbe Karte eingehandelt. Jetzt konnte er nicht mehr richtig reingehen. Zweimal musste er Sakin passieren lassen.
Folgerichtig nahm Hartmann ihn raus. Brachte einen frischen Mann, der am Freitag noch bei den Blauen gespielt hatte.
Tim machte seine Sache gut, aber Flankenläufe wie die von Jay-Jay waren nicht seine Stärke.
Trotz höchster Not rettete Noahs Team den Vorsprung in die Pause.

„Wir müssen nachlegen", forderte Noah. „Ein 1:0 wird nicht reichen!"
Er sollte Recht behalten. Kaum war die zweite Halbzeit fünf Minuten alt, wieselte Sakin wieder einmal in den Sechzehner.
Eule bekam den ersten Schuss noch ans Schienbein. Den Abpraller allerdings versenkte der Stürmer mit einem Sahneschuss hinter Hardy.
1:1.
Das Spiel stand auf Messers Schneide. Und die Schweizer ließen auch weiterhin nicht locker.
Noah spielte verbissen. Ich will nach England!, sagte er sich immer wieder. Aber dazu fehlte ihnen ein Tor.
Kurz vor Schluss gab es Ecke für Noahs Mannschaft. Alle rannten mit nach vorne.
Yannick zirkelte den Ball in die Mitte.
Schädel erwischte ihn voll. *Pock!*
Doch der Torwart machte sich lang und länger. Bekam die Fingerspitzen noch dran.
Mit einem satten Knall schlug die Pille gegen den Pfosten. *Knock!*
Alle Spieler starrten dem Ball hinterher. Wie er im hohen Bogen über die Köpfe hinwegsegelte.
Alle, bis auf Sakin. Er war der Einzige, der schaltete.
Sakin nahm das Geschenk an und gab Gas. Freie Bahn bis zu Hardy. Niemand weit und breit. Außer

Matti. Nur er konnte Sakin überhaupt noch erreichen.
Noah sah, wie der Vorsprung zwischen Matti und Sakin schwand. Noch vier Meter, noch drei. Mit langen Schritten holte sein Freund immer mehr auf.
Jetzt waren sie über der Mittellinie. Noch zwei Meter. Allein vom Zusehen begann Noah zu schwitzen. Was hatte Matti nur vor? Den Ball fair von Sakin zu trennen, war nicht mehr möglich. Ein Foul aber schon … Dafür bekäme er jedoch glasklar die Rote Karte.
Alles hing an Matti: ob sie ins Finale kamen oder nicht. Nach London durften und es von dort aus vielleicht sogar bis nach Rio schafften.
Aber wenn Matti Sakin umhaute, würde das Finale ohne ihn stattfinden. Das wäre ein gewaltiges Opfer.
Noah sah, wie Hardy aus dem Kasten kam und bei einem angedeuteten Schuss von Sakin lossprang. Jetzt lag auch noch ihr Torwart am Boden.
Sakin würde das 2:1 Siegtor schießen. Wenn Matti nicht …
„Tut mir leid!", hörte Noah Matti rufen. Dann grätschte Matti Sakin von hinten in die Beine. Ganz leicht nur, damit er den Stürmer nicht verletzte.
Sakin fiel um wie eine Bahnschranke.
Der Trainer der Schweizer stürmte wütend auf den

Platz. Aber der Schiri tat auch so, was der Mann forderte: Matti sah Rot.

Es brach Noah fast das Herz, als Matti mit hängendem Kopf vom Platz schlich. Ausgerechnet Matti, der allen anderen in Sachen Fairness stets ein Vorbild war.

Hartmann strich Matti tröstend über den Kopf. „Das war eine große Tat", lobte er. „Ich bin auch kein Fan von taktischen Fouls. Aber es war das einzig Richtige. So schaffen wir es wenigstens in die Verlängerung."

Doch es sollte ganz anders kommen. Beim Freistoß der Schweizer hatte sich die Abwehr wieder geordnet. Der Gewaltschuss prallte von der Mauer ab.

Yannick bekam den Ball vor die Füße und schickte Noah steil. Der bemerkte, wie weit der Torwart vor dem Kasten stand.
Zeit, euch zum Staunen zu bringen!, dachte Noah.
Er holte aus. Dreißig Meter. Halblinks. Er nahm kurz Maß und zog ab. Sein erster Kunstschuss im Camp. Noch während der Ball in der Luft war, drehte Noah sich um – cooler als cool –, zeigte auf Matti und rief: „Das Tor ist für dich!"
Eine halbe Sekunde später schlug der Ball im Tor ein. Hinter seinem Rücken.
Applaus brandete auf. Die Tribüne stand Kopf. Und Hartmann fiel die Pfeife aus dem Mund.

KAPITEL 15

FAHRKARTE GELÖST

Das Endspiel des Turniers war für zwanzig Uhr dreißig angesetzt. Wie viele Spiele der Nationalmannschaften.

Kein Team war abgereist. Kein Zuschauer hatte das Stadion verlassen. Alle fieberten dem Finale entgegen. Wollten die beiden Spitzenmannschaften des Tages sehen.

Die Bayern, die bisher alles plattgewalzt hatten. Und Noahs Team, das durch viele Hochs und Tiefs gegangen war, sich aber immer wieder am eigenen Schopf aus dem Sumpf gezogen hatte.

Noah fühlte sich gut. Umringt von zweiundzwanzig Jungen dachte er an seinen Vater. Nur durch ein Wunder würde er Luiz im Sommer sehen können. Gemeinsam mit ihm in einem der größten Stadien der Welt sitzen und das Endspiel der WM sehen. Und für dieses Wunder würde er jetzt kämpfen.

„Wir spielen für Matti", forderte er von allen. „Er

hat sich selbst geopfert, damit wir weiterkommen. Ohne ihn würden wir jetzt auf der Tribüne hocken, Brötchen mümmeln und Bayern gegen die Schweiz sehen."

Jeder nickte.

Noah sah das Feuer in ihren Augen. Dasselbe Feuer, das auch in ihm brannte. Das heiße Verlangen nach gutem Fußball, nach Toren, nach Siegen. Immer mehr. Bis sie auf dem höchsten Gipfel angekommen waren.

Langsam fuhr das Flutlicht hoch. Eine kühle Brise wehte durch das Stadionrund. Die Zuschauer wurden ruhiger.

Kurz bevor sie den Platz betraten, winkte Noah Hardy und Eule zu sich. Gemeinsam gingen sie zu Matti.

Er saß in der ersten Reihe, eingequetscht zwischen zwei alten Damen. Auf die Ersatzbank durfte er als gesperrter Spieler nicht.

„Es war ein weiter Weg bis hierher", sagte Noah mit fester Stimme. „Noch im Dezember haben wir auf einer Kuhweide gespielt. Kein Mensch hätte auch nur einen Hosenknopf auf uns gewettet."

Hardy nickte. „Und jetzt stehen wir hier. Mit einem Bein in England. Und mit dem kleinen Zeh in Brasilien."

Eule fummelte an seiner Brille herum. „Erinnert ihr euch noch an unseren Schwur an Silvester?"
Matti rollte mit den Augen. „Klar, Mann. Wie könnte ich den vergessen. Außerdem hängt er doch auch in unserem Bauwagen an der Wand."
Feierlich wiederholte er: *„Ich schwöre, alles für mein Ziel zu tun: bei der Fußball-WM in Brasilien zu sein."*
Noah nickte. „Genau. Und *alles* bedeutet, jetzt zu gewinnen!"
Dann klang eine Fanfare aus den Lautsprechern.
Die Mannschaften stellten sich in zwei Reihen auf und liefen auf den Platz. Angeführt von den drei Schiedsrichtern.
Hartmann drückte die Daumen. Sein ganzes Trainerteam klatschte anfeuernd.
Wieder dachte Noah an seinen Vater. Für ihn würde er diesen Pokal gewinnen. Und für Matti.
Dann passierte das Wunder. Und wirklich alle, die dabei gewesen waren, nannten es so: ein Wunder.
Von der ersten Minute an spielte Noahs Team Zauberfußball. Kombinationen wie von einem anderen Stern.
Sie hatten so viele Widerstände überwunden, um es hierher zu schaffen: Marlon und Pierre, die überheblichen Nörgler. Kevin, den unfairsten Spieler der Welt. Manchmal unentschieden gespielt, aber auch

Niederlagen eingesteckt. Und Hartmanns muskelfressendes Training überlebt.
Jetzt machte sich das alles bezahlt. Sie liefen den Bayern einfach davon. Als hätte man ihnen eine zweite Lunge eingebaut.
Noah markierte das 1:0 mit einem Fernschuss.
Eine Flanke von Jay-Jay landete im Netz.
Schädel köpfte das 3:0 und noch vor der Pause trug Yannick den Ball zum 4:0 über die Linie.
Die Bayern waren platt.
Das 5:0 machte Eule.
Das 6:0 wieder Schädel, diesmal mit dem Außenrist.
Nach jedem Tor rannte die gesamte Mannschaft zur Tribüne und verneigte sich vor Matti. Als wäre er die Königin von England. Nach und nach machten auch die Zuschauer um ihn herum mit.
Beim siebten Tor stand das ganze Stadion auf. Gut zweitausend Zuschauer verneigten sich in Mattis Richtung.
Matti saß knallrot zwischen ihnen. Aber er wirkte überglücklich.
Die Krönung des Tages war das 8:0. Eine direkt verwandelte Ecke von Noah. Ein Kunstschuss, wie er auch in der Bundesliga nur sehr selten zu sehen ist.
Anschließend wurde gefeiert. Auch am nächsten Tag noch, als der Bus schon wieder Richtung Heimat

rollte. Hartmann hatte zum Abschluss versprochen, dass jeder von ihnen bald Post bekäme. Von Sprintastic. Die Einladung zur Mini-WM in England.
Noah, Eule, Hardy und Matti konnten es kaum erwarten.

© Milena Paulovics

Fußball war schon immer *THiLOs* Leidenschaft. Mit neun Jahren schoss er als Stürmer unzählige Tore und war Mannschaftskapitän. Heute schreibt er Geschichten für Kinder und Drehbücher fürs Fernsehen. Für seinen Roman zum Film „Wickie und die starken Männer“ gewann er den österreichischen *Buchliebling*. Seine Lieblingsmannschaft: Mainz 05. Da steht er jede zweite Woche im Stadion.

Mehr über THiLO gibt es unter *www.thilos-gute-seite.de*

Kaum einer bringt Ballkünstler so treffsicher aufs Papier wie *Jürgen Rieckhoff*. Sein Handwerk lernte er in Hamburg an der FH für Gestaltung. Heute illustriert er Kinderbücher und lehrt als Professor der Hochschule Anhalt Zeichnen und Darstellungstechnik. Im Gegensatz zu seinem Hund und seiner Katze jagt er selbst keinen Bällen hinterher. Aber er drückt seinen Lieblingsvereinen HSV und FC St. Pauli bei jedem Spiel fest die Daumen.